늘푸른나무

이 미 라

늘 감사하고
행복했습니다.
이 책이 작은 기쁨이
되어 드린다면
참 기쁠것 같아요.

늘
푸른
나무

LEE MI RA SPECIAL EDITION

늘 푸른 나무

이미라

1

학산문화사

LEE MI RA SPECIAL EDITION

늘 푸른 나무 1권

늘 푸른 나무 1권 9

이른 아침의 등교는
역시 상쾌해.

조용한…

나의
열렬한
팬인가?
후후…

어…,
이런 시간에 누가
내 포스터 앞에?

뭐?
엘리트 중의
엘리트라고?

야!
진짜 엘리트가
보면 웃겠다!

어디서 걸레 같은
포스터를
가져와서는…

그렇지!
추남 콘테스트에
나가면 분명
1등할 거야.

이런 건 깨끗한 환경 유지를
위해서 없애야 돼.
우린 깨끗한 환경에서
살 권리가 있다고,
자연 보호 헌장에도
명시되어 있다고….

이러고
보니까 진짜
걸레 같잖아?

아무도
본 사람이 없겠지,
후후….

설마 이렇게
이른 시간부터
누가….

…누…가… ─?

서지원!

아아—,
서지원이다!

이리하여 백장미는 슬비의 소원대로
아름고교 제32대 회장이자 일곱 번째의 여학생 회장이 되었다.

분명, 서지원이다. 그 현상수배범 같은 녀석이 저렇게 멋진 연기를 할 수 있다니….

천년 마녀

끝

이어서 휴암동의

조 ~ 용

슬비야,
식사 준비 다 됐다.

정말로
감동적이었어!

그런데…

어째서
그 녀석이…

까득~

미, 미안해.
밥에 돌이
들어갔나 보지?

벌떡!

……

…나무에
올라가는 건 교칙상
금지되어 있어요.

그런 식으로
말 돌리지 말고.

지원아!

재혼하신대.

그래…
혼자 지내시려면
외로울 거야.
그것도 먼 타국에서….

나도 이해는
하고 있어.

그저…

나는 그저….

이제 맘놓고 밥 먹으러 가야지.

어쩐지—.

흠 짓

나같이 매력적인 소녀에게 러브레터 하나 안 오기에 이상하다는 생각은 했었지만…

→ 선채로 굳었음

이런 암적인 방해물이 있을 줄이야…

뭐? 내가 겉과 속이 달라?!

데이트 비용만 생각해도 끔찍하다고?!

내가 언제 점심으로 우동 2그릇, 햄버거 3개, 코코아 3잔, 식빵 큰 걸로 2개나 먹었니?!

저… 전에 우정분식점에서 맛있다고 우동 3그릇 먹었잖아.

아냐! 난 2그릇 반만 먹었어! 네가 내 것까지 합해 4그릇 먹었잖아!

음…, 내가 무슨 말을 하고 있지?

그리고…

난 남자애를 싫어하지 않아.

아아…, 이런 지옥 같은 일이 생길 줄이야….

미팅이라니—. 그것도 내가 주선해야만 하다니….

슬비야, 식사해라.

애, 슬비야.

엄마, 남자 친구 사귀는 것에 대해 어떻게 생각해요?

그, 글쎄….

'남녀칠세부동석'이란 말도 있듯이 역시 사귀지 않는 게 좋지 않을까요?

왜 그런 걸 묻는지 모르지만….

엄마는 이성 교제를 그리 반대하지 않아요.

에…, 그러니까 한 마디로 아빠는 훌륭하고 위대하신 분이었어요.

그래….
생각해보면
네 아빠 같은
분도 없을 거야.

미남에다
지적이시며
상냥하시고….

그뿐이 아냐.
무엇이든 잘하셨지.
어쩌다 한가한 날이면
나를 위해 노래를 불러주곤 했지.

엄마….

미안하구나.
눈물을 보여서….

그래.

생각해보면
아빠도 나쁜 사람이다.
엄마를 남겨두고
돌아가시다니.

자, 서로 자기 소개를 하는 게 어때?

이쪽은 아까 말한 한동호 씨.

처음 뵙겠습니다.

저 백장미라고 해요.

이봐, 너희들 너무 가까이 있는 것 아냐? 하하!

난 그냥 여기서 가만히 있을게.

시간이 지났으니까
이제 집에 가자,
장미야.

저,
저럴 수가…!

아…,
아니….

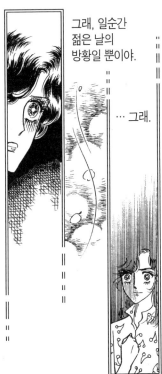

그래, 일순간
젊은 날의
방황일 뿐이야.

… 그래.

오늘 내 생일인데
우리 집에 갈래?
이 장미꽃 예쁘지?
선물로 너 줄게.
가자, 응?

미안하지만
그와 약속이 있어.
그럼….

자…
장미야.

이…,
일순간의 방황….

다시 한번
잘 생각….

꿈

꿈

꿈

휴…, 정말 다행이다.
생각만 해도 끔찍한 그런 일이
현실일 리가 없지.

아냐.
그런 일이
안 일어나라는
보장도 없어.

그래.
이건 심각하게
생각할 문제야.

비록,
오늘이 일요일이긴
하지만….

일요일은
대 청소의
날

괴로운 일일수록
빨리 처리하는 게
좋아.

아침부터 외출복으로 갈아입고 어딜 갈 거니?

예, 먼저 밥 좀 먹을게요.

그래…. 역시 그 사람이 좋겠어.

참!

옆집에 이사왔더라.

네 또래의 남자애가 있던데 굉장한 미소년이던걸?

한번 사귀어 보는 게 어때? 이 엄마가 적극적으로 밀어줄게.

주르르륵

위 잉

다녀오겠습니다!

다 다 다

빨리 들어오도록 해라.

아니, 그리고 보니…

청소는 나 혼자 다 해야 되잖아.

이럴 수가…. 불공평하다.

부모님은
어디 가셨나 봐요.
내내
안 보이시던데…

아…,
저는 혼자
살고 있습니다.

혹… 고아인가?
이 아파트에
혼자 살리라곤
생각 못했는데…

어쩐지
이삿짐이
간편하다고
생각했죠.

아직
학생인 것
같은데….

어디선가
본 듯한 얼굴인걸?

예,
근처의 아름고교에
다니고 있습니다.

어머—.
내 딸도
아름고교인데….

워낙 말괄량이라
항상 소란스럽죠.

어려운 일 생기면
연락해요.

이웃이니까
힘 닿는 데까지
도울게요.

아름나리

맛있는 빵 싼빵 좋은 빵

장미ㅡ!

여기야, 장미!

자! 인사해. 이쪽은 우정식당의 김양돈 씨라는 분이야.

장미도 남자애에 대해
더 이상 흥미를 갖지 않게 될 테고….
나랑 더 친해질 수 있을 거야.

응?

이봐요,
물건 떨어진 것
있어요!

아,
…아니, 웬
밥주걱이….

어머…,
내 딸이랑
같은 학교에
다니는군요.
워낙
말괄량이라서
….

설마….

너랑 같은 또래 같더라.
굉장한 미소녀이던걸?

……

응….

…그러니까…

① 키는 177cm 이상.
② 지극히 날씬한 몸매(63kg 이하).
③ 잘생긴 얼굴.
④ 우수에 젖은 눈동자.
⑤ 이가 희고 깨끗할 것.
⑥ 분위기 있는 남자.
⑦ 말이 별로 없는 남자.
⑧ 뼈다귀는 206개 모두 완벽할 것.
⑨ 세련되어야 할 것.

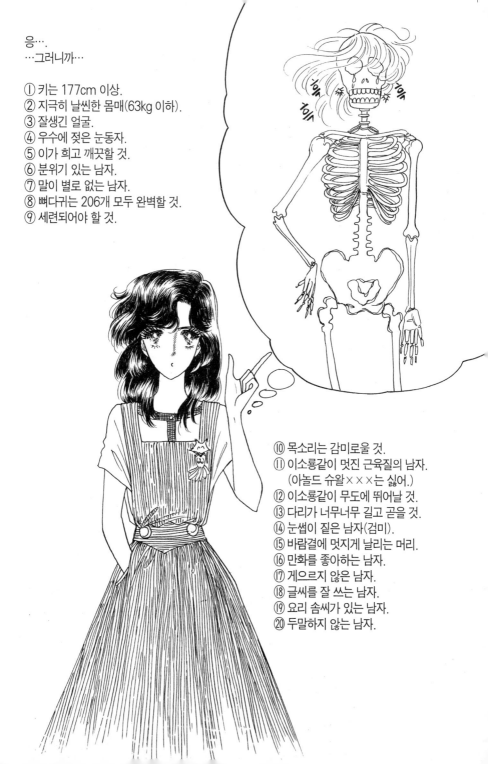

⑩ 목소리는 감미로울 것.
⑪ 이소룡같이 멋진 근육질의 남자.
　(아놀드 슈왈×××는 싫어.)
⑫ 이소룡같이 무도에 뛰어날 것.
⑬ 다리가 너무너무 길고 곧을 것.
⑭ 눈썹이 짙은 남자(검미).
⑮ 바람결에 멋지게 날리는 머리.
⑯ 만화를 좋아하는 남자.
⑰ 게으르지 않은 남자.
⑱ 글씨를 잘 쓰는 남자.
⑲ 요리 솜씨가 있는 남자.
⑳ 두말하지 않는 남자.

㉛ 기타를 잘 치는 남자.
㉜ 예의가 바른 남자.

......
......

㉛ 웃을 때 잇몸이
드러나지 않는 남자.

......

㉟ 아무 데서나
방뇨하지 않는 남자.

⑨⓪ 무식하지 않은 남자.
⑨① 입에서 냄새 안 나는 남자.
⑨⑥ 여자를 존경하는 남자.
⑨⑨ 의지와 절개가 굳은 남자.
⑩⓪ 노래를 잘하는 남자. 이상 끝.

다 기억하고 있군.
가르친 보람이 있어.

···그런데···.

네가
소개시켜준
그 사람은···

그 100가지 중의
어느 한 가지도
갖추지 못했어.

100 t

그건 곧
네가 날 계획적으로
우롱했다는 증거야!

그래, 어쩌면
넌 평소에도 늘
그런 식이었는지도
몰라.

어떻게 그럴 수가···.
난 너와 진실되게
사귀려고 노력했는데···.

어쨌든 지금의
이 난관은
뚫어야 해!

그리고 사랑보다
우정이 훨씬
굳세다는 걸
보여줘야 한다고.

그러기 위해서는
하루라도 빨리 미팅을
주선해야 하는데…

하나 둘   하나 둘

호박
양파

육상부 애들…

제주

젠장!

보이는
거라곤…

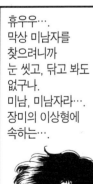

휴우우….
막상 미남자를
찾으려니까
눈 씻고, 닦고 봐도
없구나.
미남, 미남자라….
장미의 이상형에
속하는…

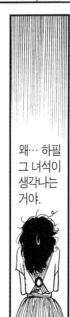

왜… 하필
그 녀석이
생각나는
거야.

휴우…
근데 중요한 용건을
빠뜨리고 왔으니…

몽룡아,
좀 더 왼쪽이야,
왼쪽.

아아…, 장미야.
순수한 여자만의 세계에
왜 남자를 끌어들이려 하니?

무지막지한 남자들이
뭐가 좋다고….

장미야,
점심은
같이 먹자.
응?

아예
팍 무시하는군.
…좋아…,
좋다고.

소개시켜주면
될 것 아냐!

애자야,
도시락 먹자.

어머…. 이름을
알고 있다니…
영광인데요.

아….

장은경 여사의
열렬한 팬

저… 저야말로
영광입니다.

어쩐지
본 듯한 얼굴이라
생각했더니….

여류 수필가 장은경 여사.
그녀는 젊은 나이에 부군을 여의고
딸 하나만 데리고 살고 있다.
『일편단심 진달래야』를 비롯한
그녀의 수필은 그녀 특유의
섬세하고 부드러운 필치로
많은 팬을 확보하고 있으며
특히 제3집 『일편단심
진달래야』에서는 작고한
부군과의 사랑을 억제된
감정으로 담담히 술회,
오히려 더욱 진한 감동을
이끌어내고 있다.

또한 가수 조용함씨는
그 감동을 노래로 승화시켜
공전의 대히트를 거두기도 했다.

저…,
정말 재혼은
안 하실 겁니까?
…젊으신데….

벌써 오래된
일이죠.

이젠
혼자 사는 것에도
익숙해져서…

사실은 나도
처음 남편을 잃고
어쩔 줄 몰랐죠.

세상 모든 것이
두렵고 힘겹게만
느껴져서…

하지만 내겐
슬비가 있었어요.

그 앤 내 소중한 딸이며 기사랍니다.
언제나 나를 지켜주었어요.
쓸쓸함으로부터…

그렇게 쭉
내 곁에 있어왔지요.

흠…, 의외인데?

전날 매점에서는 장미가
남자애 사귀는 걸 필사적으로
반대하더니… 무슨 일이 있었나?

…그리고
보니…,

혁진이에게도
괜찮은 일이군.

할게!

에?

미팅 하겠단 말이야.
그 백장미란
애하고.

와아아~!
정말 잘 생각했어!
넌 봉을 잡은 거라고!

?

자,
식사 준비가
다 되었어요.

입에 맞을지 모르겠지만 맘껏 들어요.

감사합니다—!

차린 건 많지만, 조금만 먹기 바라.

혼자 자취하려면 식사 거르기 쉬우니 우리 집에서 자주 들도록 해요.

한 사람 몫 더 만드는 것 쯤이야 어렵지 않죠.

그… 그래도 될까요?

안 돼. 밥주걱이 밥숟가락인 널 먹여 살리다간 우리 집 살림 거덜나.

그래 저렇게 말야

맛있다

음식 솜씨가 무척 좋으시군요.

저, 한 그릇 더 먹어도 될까요?

저어…

뭐야!

설마 또 왜 따라오냐라는 소린 않겠지?

같은 방향이란 건 누구보다도 잘 알고 있을 테니 말이야.

2월 11일,
2월 12일…

있다!

사격계의 신상 조종인

18세의 전국 체전 5관왕의 미소년

올림픽
금메달을 기대….

사격의 왕자 조종인,
「주간 스포츠」에서
올해의 인물로 선정.

굉장한 평이군.
이 정도의 찬사를 받는
인물이었다니….

그런데….

어째서 사격을
그만두게 됐을까?

지금쯤
뭘 하고
있을지….

조종인 그 애…,
내 이름을 알고 있을까?

오늘이 세 번째였어.
처음은 나무 위에서… 두 번째는
담 위에서였지. 그리고 자동판매기….
그러고 보니 만날 때마다
의외의 장소구나.

…왠지…
잊혀지지 않는
얼굴이었어.

늘
푸른
나무

특히…
저 녀석.

요주의
인물이군.
잘 감시
해야겠어.

하
하
하

그…러기
…위…해선
….

자―,
숙녀분들!

아무거나
고르시기를….

내가 파트너가
되어야 해.

게다가
서지원 같은
녀석과는….

그…,
그럼… 난…
이 만년필.
호호…호….

필사적으로
O열쇠고리를
잡고있다

딸랑

혁진

이건
내 거야!

그…
그럴 수가…
분명 이름이…

하아

내 생일날
혁진이가 자기 이름을
새겨서 준 거지.

혁진

허랑

HYEA JA

주문하시죠!

에라, 이왕
이렇게 된 바에야
먹기나 하자.

으…

음…

이것하고 이것
그리고 이것도….

이 파인애플
주스.

콜라.

그리고 크림빵,

아이스크림,

도넛…,

슈가빵,
또 레몬 파이랑
피자 파이….

빵 2인분이랑
파인애플 주스 1잔,
그리고 콜라 1잔.

메 뉴

해자 분식

뭐야!

아잉씨

난 학생이야.
그것 다 사줄 돈
없어!

그래,
별로다.

내가 내면
되잖아!

그저 무한대일
뿐이니까!

내가
먹으면 얼마나
먹는다고 그러니?
치사하게!

아, 그러니?

잘됐다.
갈 때 네가 내고 가.

누구 좋으라고,
이 구두쇠야.
스쿠루지가 보면
형님이라 그러겠다.

이름도 아예
서쿠루지로
바꾸지 그러니?

그러는 너는 뭐
성모마리아 같은 줄
아니?

마귀할멈 같은 게.

늘 푸른 나무 1권 · 143

가고 싶은 곳이 있으면 말씀 하십시오.

어디든지 모시겠습니다.

……

글쎄요…. 그냥 걷는 것도 좋은 것 같은데….

아…

나 먼저 갈게.

뭐?

잘못하다 촬영시간에 늦겠어.

후후

역시 슬비도 여자야.

자존심이 상한 것 같은 걸….

공부란 역시
혼자 하기보단 누군가와
같이 하는 게 능률이
오르죠, 하하….

가령 풀기 힘든
문제가 나온다 해도.

생각해보니
말 한 마디 제대로
주고 받지 못했어.

바스락

......

조금 전—

비호각
숲 근처에서…
고양이를 한 마리
봤는데…

함께 가볼래?

그래,
도시락이야…

난 몇 년 동안
도시락을 잊고
살았던 거야.

친구들이랑
모여 앉아 대화를
나누면서…

도시락을 먹는
그 즐거움…

너무나 오래
잊고 있었다.

지원아! 오늘은
네가 좋아하는
새우 반찬이란다.
호호….
또 2교시째엔
사라지겠구나.

저런….
아무리 늦어도
도시락은
가져가야지!

자—,
어서 받아!

그…, 그래.
고마워.

잘 먹을게!

여우

어머니와 딸은 서로 닮는 거로구나.

저어—,
다시
물러달라고 하는 건
아니겠지?

난 한 번 준다면
주는 사람이야.

이 야 호 ♪

맛있는 걸 사주면 돼!

─그 대신,

그래, 사줄게. 뭐 먹고 싶어?

꿀꺽

아이스크림.

에…, 겨우 그거니? 난 또….

좋아, 출연료 받으면 사줄게. 질릴 정도로 말이야.

진짜야? 실컷 먹게 해주는 거지?

그럼!

자…, 잠깐 기다려.

얘가 먹으면 얼만큼 먹겠어? 3개 먹으면 떨어져 나갈 텐데.

자! 여기 서약해.

내가 원하는 만큼 사준다고….

뭐…, 뭐야?

서, 서약이라니, …그까짓 아이스크림 가지고….

어쩜—
날씨가 이리도 좋을까?

정말이지,
이런 날엔 어디론가
떠나고 싶어.

애,
장미야!

너, 어제
명화극장 봤니?
〈드라큘라의
썩은 이〉란
영화였었는데…

못 봤지?
얘기해줄까?

수업 중이니
좀 조용히
해줘.

그거 얼마나 재밌는 거라고…

안 들으면 후회한다, 너.

지금은 듣고 싶지 않아!

좋아! 뭐.

흥

난 공부만 죽자 사자 하는 애는 참 위선적으로 보이더라. 언제나 공부만 하는 체하고….

그런다고 뭐 성적이 좋은 것도 아니면서….

사실— 수업 시간에 그다지 파고들지 않아도 공부를 잘하는 거라면 존경할 만한 거지.

← 최선을 다해 참고 있다

장미야! 너 혹시 머리가 나쁜 것 아니니?

100 ton

굿

그렇게 열심히 하는데 왜 1등은 못하니?

나라고 뭐 독어 선생님의 그 개미 기어가는 듯한 목소리가 좋아서 듣는 줄 아니?!

대학을 가야할 것 아냐, 대학을! 그러자면 수업 시간에 착실히 들어야 한다고!

탕

알았어, 장미야.

그런데… 주위를 좀 봐…

……

흘낏···

호호

핫···

그럼, 내일 2시 체육실에서 만나요.

예, 선생님!

이··· 이럴 수가···. 약속을···. 순간의 방심조차 금물이라더니···.

—그래, 소설이나 잡지 같은 데서 많이 봤어. 선생님과 제자 사이의 불륜의 사랑.

감수성이 예민한 여고생은 가장 가까이 접할 수 있는 선생님에게서 이성을 느낀다.

호

끝내는 맺지 못해 자살로 이어지는 비극···.

나는 친구로서 말려야 해. 그리고 충고를 아끼지 말아야 하는 거야.

안 돼! 장미!

응?

너... 너도 쟤가 있잖아.

그걸 말이라고 하니?

그, 그렇지. 너희들은 물과 불 같은 관계.

너무 잘 어울린다!

휘청

이, 이런... 또 실수를...

하지만 저 앨 너무 나쁘게만 생각 마. 사람은 저마다의 개성과 매력이 있는 법이라고. 또 모르잖아? 가령 저 애의 발가락이 마음에 든다든가.

저 애 발가락은 못생겼어.

흥...

...슬비와 함께라...

그래! 그래!
아니꼬워서 미안하다!

그래서 어쩔래?

핫. 어느새…

싫어!
안 해!
안 하면 된다고요
난 쟤가
미워서도
같이 안할래

안할거야아ㅡ
으아아!

지원아,
네가 참아.
응?

슬비, 네가
정말 잘못한 거야.
사람을 면전에 두고
그러는 애가
어딨니?

미안…

나
나쁜가봐영

장미 양,
그럼 오늘은 이만.

지원이
자취방에서 가서
계속 공부하기로
했거든요.

예….

그래ㅡ, 슬비야.
나도 너희 집에 가서
공부할까?

툭턱
툭턱

뭐…, 뭐라고?

너희들, 바로 옆집에
살고 있다고?!!

어…
어쩌다
보니까…

원수는
외나무 다리가
아니라…

!

바로
옆집에…

잘됐다!
그럼,
지원이의 아파트를
아지트로!

어느덧 시험 날 아침.

아…, 그리고 보니
2교시 것은 하나도
안 했잖아.

아… 아….

태풍이라도 불어서
우리 학교가 송두리째
사막으로 뽑혀가버렸으면…

아니면
오늘 시험 감독
선생님들이 일시에
장님이 되어버린다거나.

2 - 6

시험 치는 학생들의 손이
마비상태가 되어
움직이지 않았으면…

—하지만
그런 기적—,
아니, 비극은
일어나지 않았다.

슬비야,
시험 잘 쳤니?

아,
장미.

양… 또 틀렸다.

그래, 수학Ⅱ 문제는 어땠어?

슬비가 우습게 푼 문제이고 걸주르기 위한 문제

응, 적당히 다 짚어서 적어냈어. 생각보다 너무 쉬운 것 있지

2번 문제 있잖아. 순서대로 찾아내는 것 말이야. 1)√2)√0.014 그걸 누가 모르니?

답 몇 번 썼니?

그야, 뭐 2번이지.

바…, 바보…! 답은 4번이야!

큰 것 순서대로 적는 것 아니야?

작은 순서대로야.

빨간 줄까지 쳐주었잖아.

2 — 6

그, 그럼 3번 문제는?

자! 여기 정답 줄게.

맞혀봐!

이…, 이럴 수가… 맞는 게 하나도 없어.

……

적어도 평소에는 10개 중 2개 정도는 맞았는데….

털썩

아…, 슬비. 너무 불쌍하게 보인다.

이 세상의 온갖 비극은 혼자서 다 갖고 있는 것 같아.

흐느적 흐느적

저 표정 좀 봐. 불쌍하다 못해 소름이 끼칠 정도다, 애.

슬비야!

절망 + 캄캄 = 암흑뿐인 세상

말 시키지 마!

그래도 스터디그룹 처음한 날 수학Ⅱ 문제 2개는 풀었었는데.

바보, 수학Ⅱ는 답보다는 풀이 과정이란 말이야.

저…,
실례지만…

시험 기간이면
언제나 저렇습니까?

어떡하든 50등 안에
들어야 해. 50등, 50등…
아…, 1등에서 50등까지
모두 죽어버리면 내가
1등 할 수 있는데….

……

마치
유령하고
함께 있는듯
해서…

성물

예―. 저도
처음엔 이해 못했는데
차츰 그렇다는 걸
알게 됐어요.

주기적인 현상이니
너무 염려마세요.

그래도 저 정도로
열심히 하면
성적이….

왜 그래?

1교시에 독어를 치는데 아무것도 모르겠어.

잠깐, 이리 줘봐.

…분명, 연습 문제에서 나올 테니까….

자, 여기 이걸 외워. 여성명사, 남성명사의 변칙법하고, 중성명사도 말이야.

응, 그렇게.

아아….

맞아! 오늘 지원이가
외워두라고 한
바로 그 연습 문제야!

← 사실은
동어 임

아아…,
행복해.

그 고시가 끝나고…

드디어 마지막 시험도…

때
르
르
릉

이미 포기했던
과목인데….

시험 기간 중에도
내내 생각했었는데…

반 아이들하고도
잘 얘기하지 않나 봐.

혼자는 외로워.

그래서 둘이 좋은 거야.

장미는 나빠. 외로운 친구를 혼자 두다니….

시험 잘 봤니?

…서지원.

어머, 서지원이다.

오늘 아침까지만
해도……

영
영

큿.

뭐…, 뭐야?

아니—,
아니—.

기분 나쁜
녀석

재미있는 애야.
말괄량이 같지만
소녀적인 다정함도
깃들어 있는 것 같아.

고마워!

70~80만 원쯤 돼.

80만 원!

너 한 달 총수입이 얼마나 되니?

헤자장의사

미근족발

그런데 돈 100원이 없어?!

아껴 쓰는데도 항상 모자라.

도대체 돈을 어디다 쓰기에?

70% 정도는 예금하거든.

예금이라고?

난 그런 걸 쓸데없는 거라고 생각했는데…

히익!
5···
500만 원!

5···
500만 원이면
얼마나 되지?

즉석 떡볶이를
5000번이나
먹을 수 있고,
아이스크림도
질식할 정도로
먹을 수 있구나.

너 우리 집에서
밥 먹는 것 모두 계산해서
내게 갚아야 해!

정말 지독한
녀석이야.

?   ?
?
₩-500만
원

← 슬픈눈에 비친
지원이

노후 생활이 그렇게나
걱정스럽니?
왜 그렇게 필사적으로
예금하는 거야?

나에겐 꿈이 있어.

그게 아냐.

꿈?

그래,
요트를 타고 세계 일주를 떠나는 거야.
5대양 6개주를 마음껏 누비고 싶어.

틀림없이 아름답고 멋진 일이
많이 일어날 거야.

보기보단 다른 녀석이군.

…꿈을 먹고 산다니….

난 매일 아이스크림이나 떡볶이를 먹고 사는데….

그러자면 돈이 있어야 해, 돈!

돈은 목적이 아니라 수단이야.

돈이 있어야만 자유로운 계획을 세울 수 있고 요트도 마련하고 꿈을 이룰 수 있으니까.

요트가 많이 비싸니?

그럼! 이 정도론 어림없어.

…혼자 갈 거야?

…글쎄….

생각해보진 않았지만…

가능한 한 사랑하는 소녀와 같이 떠나고 싶다. 모험길이니까 결코 나약해서는 안 돼.

위급할 때면 나를
도와줄 수도 있는 용감한 소녀.
그러면서도 아늑하게 나를
감싸줄 수도 있어야 해.

지원아,
저 버스 아냐?

아—,
그래!

그래!
가고 싶어—!

참, 너도
같이 갈래?

시험 끝났으니
시간 있을 것
같은데….

이야호~!

잘하면
안혜자 양의 얼굴을 직접
볼 수 있게 된다.
이히히….

부웅~

지원아, 앉아!

네가 앉아!

그…, 그럴까?
괜찮겠어?

바보.

이럴 땐 당연히
여자가 앉는 거란
말이야.

…생각해보면

남자라고 다 나쁜 건
아닌 것 같아.

어이—, 지원 군! 옆에 있는 앤 여자 친구?

아, 아뇨. 제 열렬한 팬인데 조수라도 좋으니 옆에 있고 싶다고 해서요.

음... 조... 조수래니

곧 리허설 시작되니까 준비해두게.

너, 옆에서 좀 떨어져 있어.

예.

대사 외우는 거야?

응, 정신 집중 해야 하니까 말 시키지 말고 조용히 있어.

좀 구경해도 되지?

응.

스
으

썰
썩

흥...
촌뜨기 같이
구는군

또
각
또
각...

에라이—!
얼마나 못하는지
보고 마구
비웃어줘야지!

무슨 일인지 모르지만 여자가 남자 탈의실에 함부로 들어와도 돼?

선배님—.

미안해요, 지원 선배님.

이러지 않고선 만나볼 기회가 없어서….

그 때 속은 걸 생각하면… 1시간을 분장실 밖에서 기다렸는데 결국은 놓쳤지.

뭐 이렇게 못생긴 사람이 다 있지?

지원 선배님.

내일 저랑 같이 영화 보러 가요. 예?

시간 없어.

아이 참~.

여기선 그런 연극 안 해도 된다니까요!

아무도 보는 사람 없잖아요.

늦었구나.
빨리 와서 식사들 하렴.

엄마, 엄마!
나 오늘 방송국 갔었다.

그래서 말이야…
안혜자 양이 내게 먼저 말 건 거 있지.

난 오늘 일을 많이 했으니까 10그릇을 먹어도 허물이 안 돼!

이…이
나도 슬비처럼 방송국에 가서 인기 여우 춘춘이를 봤으면…

호호호~.
우리 슬비는 좋겠구나.
지원 학생 덕분에 방송국에도 가 보고….

그래도 반 대항인데 나 때문에 지기라도 해봐.

넌 승패를 좌우할 만한 인물이 못 되니까 걱정 마.

혹시나 잘못되어서 공에 맞아 죽을지도 모르잖아!

넌 모든 일을 너무 극단적으로 생각하는 경향이 있어.

제…, 젠장! 억울해!

겉으로 거칠게 보일지 모르지만 난 문학소녀란 말이야!

그래? 가을종합예술제 때 숨은 실력 꼭 보여줘.

네가 글을 좋아하는 줄 정말 몰랐지 뭐야.

얄미운 계집애.

지원아.

기다렸어?

응, 같이 가려고.

요즘 너 얼굴 보기 힘들다.

촬영 때문에 좀 바빴어.

여름방학 특집에서 주역 맡았거든.

〈천년 마녀〉는 끝났잖아. 이젠 뭐지?

응.

〈은하고속 888〉 이라고 순아라는 애와 우주 여행을 떠나는 청년 역할.

아이스크림
먹기 내기라도
했나?

뭐,
그렇게 놀랄 것 없어.
난, 아이스크림이라면
한 박스라도 먹어치울 수
있으니까.

시, 신기하다.
20C의 불가사의 중의
하나가 아니고
뭐란 말인가!!

괴물!
20C 신종 괴물
출현!

아저씨, 여기
오아시칸 아이스크림
2개 더 주세요!

예, 예—.

말려야 해.
저러다
냉동인간 되어서
죽으면
어떻게 해?

아아니...
도시커
9 번째
10 번째!

너무 걱정 말아요.
아이스크림에
빠져 죽는 게
소원인 애니까.

방송국에
연락을 할까?
말까?

재 위장은 대체
뭘로 만들어졌을까?
아주머니는
이 엄청난 사실을
알고나 계시는지….

다녀왔습니다.

딩동

그래.

찰칵

아아…, 여전히
변함없이 미소로
딸을 반겨주시는
불쌍한 아주머니.

아나ㅡ,
스…, 슬비야!

종인이….

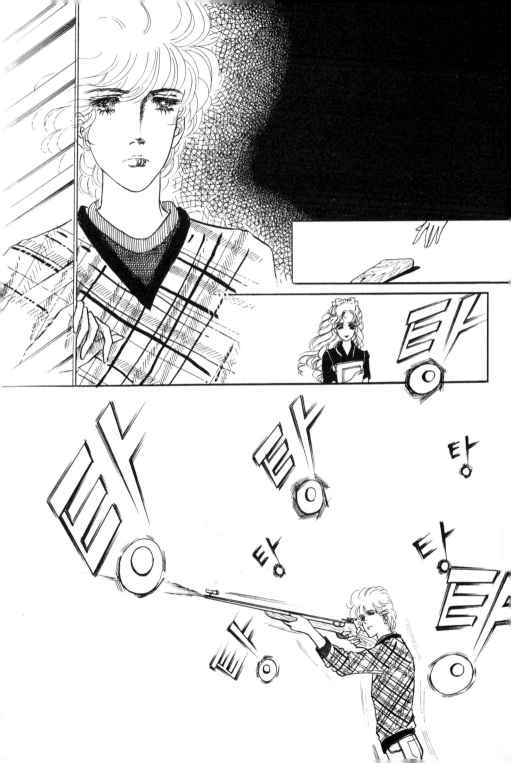

종인…

만나고 싶었는데…

줄곧 네 생각뿐이었는데…

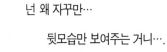

넌 왜 자꾸만…

뒷모습만 보여주는 거니….

왜…
그렇듯 꺼질 듯한 모습으로
남는 거니….

장미가 보고 있어.
꼭 1등 해야지.

헤….
어쩐 일로
꼴찌도
안 하고….

뜀틀 넘고
매트에 구르기
한 번—.

이봐.
슬비, 힘내!

수고했어,
슬비야.

아…,
모두들 굉장히
잘하는구나.

어쩌지?
다음은 내 차롄데.

시…,
시끄러워.

그딴 소린
하지도 말아.

와아ー!
슬비, 잘해ー!

저것들이…?
내가 폭력을 안 쓰고 인도주의로 나가니까
아주 놀고 있군그래.

장미까지도….

홀끔

지옥의
재판기록부

유죄—
서지원
전혁진
백장미

아예 청사진으로
콱 박아두는 게
낫지 않을까?

세이프─!

슬비에겐 아무것도
보이지 않았다.
다만 몇 개의 별만이…

저 녀석들은 아까부터 계속 비웃는데 말이야.

지원아, 쟤 눈빛이 좀 이상해 보이지 않니?

신경 쓰지 마. 모른 척해!

아무래도 조금 전에 뛸 때 엉덩이가 너무 튀어나왔다고 한 말을 들은 게 아닐까?

따지고 물으면 우린 끝까지 결백을 주장해야 해! 그래야 살아남을 수 있어!

저 애가 얼마나 잔인한 앤지 넌 안 당해봐서 몰라.

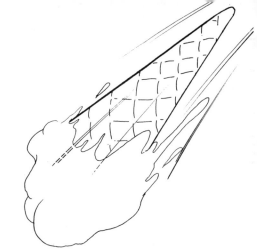

그래,
아이스크림.

아이스크림이야!

꾁

와아 이겼다—

게임 세트—!

와

와

역시 슬비는 대단해.
아까 그 민첩성
봤니?

마지막 묘기를
보여주려고 여지껏
서툴게 했구나.
난 그것도 모르고 계속
에러를 범하길래 얼마나
원망을 했는지.

공격에서도
슬비는 대단했어.
어설픈 척하면서도
잘했거든.

어쨌든 그 우승은
슬비의 공이다.

장미야,

나 아무래도
병원에
가야 할 것 같아.
배가 들어갔어.

아이스크림 먹으면
나올 거야.

하지만 어느 새―.

성

큼

그래 뭐,
어차피
난 다리가
짧으니까.

응?

장미 아냐?

장미야!

아름꽃집 꽃

아…. 장미는 언제 어디서나 아름답구나.

멋과 분위기와 낭만이 있는 소녀,
꽃과 함께 있는 장미라….

…그에 비하면 난… 얼마나 방정맞은 소녀인가.

흠~ 그래?

…그건
너무 시시해!

난 이 세상에서 제일 가는 그 무엇이 될 거야!
모두들 우러러보고 존경하고 그리고 내가 하는 일에 대해선
절대적인 동경을 퍼붓는, 그러한 여인!

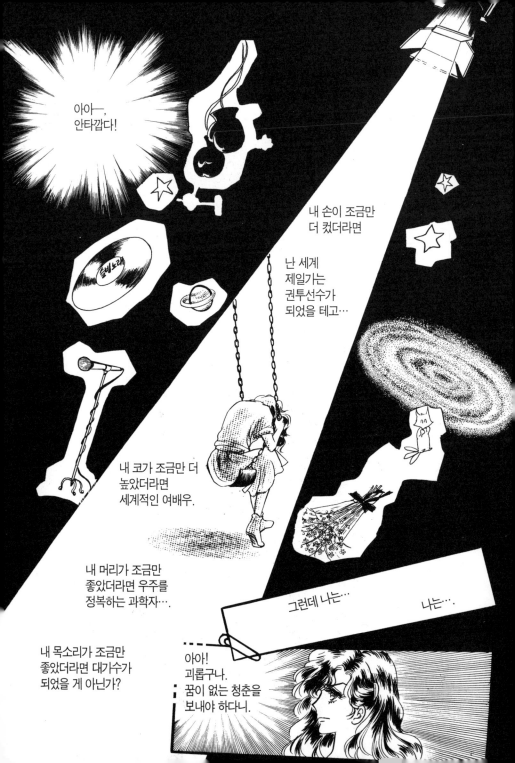